Entdeck mit uns die Tiere in Feld und Flur!

Bilder und Originaltext von Marcel Marlier
deutsche Textfassung von Gisela Fischer

Pestalozzi-Verlag, D 8520 Erlangen

„Ich weiß nun viel über die Tiere in unserem Garten", sagt Martina eines Tages zu ihrem Bruder.* „Jetzt möchte ich auch etwas über die Tiere erfahren, die draußen in Feld und Flur leben."

Und so machen die Kinder heute einen Ausflug hinaus aufs Land.

Martina entdeckt ein Vögelchen, das am Boden herumtorkelt und jämmerlich piepst. „Ach, der arme Vogel!" ruft sie. „Er ist ja ganz nackt!" Markus lacht. „Nein, nein. Das ist ein sehr junger Vogel. Dem sind noch gar keine Federn gewachsen! Aber faß ihn nur nicht an! Seine Mutter hört sein Piepsen bestimmt. Sie wird kommen und ihm helfen."

Schon nimmt Markus die Schwester bei der Hand und zieht sie mit sich fort. „Jetzt wollen wir unsere Entdeckungsreise beginnen. Als erstes schauen wir nach, wer in dem alten Turm des Landschlößchens wohnt."

*Entdeck mit uns die Tiere im Garten!

„Du meinst, dort wohnen
Tiere?“ fragt Martina ungläubig.

In dem alten Turm wohnt die Schleier-
eule. „Ist sie nicht wunderschön mit
ihren dunklen Augen, der weißen Kehle und dem goldbraunen Feder-
kleid?" fragt Markus. „Ja, schon", sagt Martina zögernd. „Aber ich
fürchte mich ein wenig vor ihr."

„Huch!“ Martina schrickt zusammen. Ein Tier mit winzigem Fuchskopf und großen Ohren fliegt an ihr vorbei. Es hat große, gummiartige Flügel und gleitet lautlos durch die Luft. „Keine Angst“, beruhigt Markus die Schwester. „Das ist nur eine Fledermaus.“

„Hier draußen ist es viel schöner", meint Martina. Aus der Hecke hört sie lautes Piepsen. Drei kleine Hälse recken sich mit offenen Schnäbeln: „Hunger, Hunger!" scheinen die Amselkinder zu schreien.
Der Amselvater aber läuft aufgeregt zwitschernd auf und ab. „Bestimmt hat er Angst, daß wir seinen Kindern etwas antun", sagt Markus. „Komm, gehen wir lieber weiter."

Er deutet auf einen Vogel mit tief gegabeltem Schwanz. „Eine Schwalbe! Ihre Beine sind ganz kurz, und sie kann schlecht laufen. Aber sie kann ungeheuer schnell fliegen!"

„Ihr Nest ist ein richtiges kleines Kunstwerk", staunt Martina. „Es sieht aus, als wäre es aus Schlamm und Halmen gebaut."

„Ist es auch", sagt Markus. „Und innen ist es mit Haaren und Federn weich ausgepolstert."

Markus und Martina sind auf einen Baum geklettert. „Kannst du die Vögel dort unten sehen?“ flüstert Martina plötzlich. „Sehen sie nicht aus wie Soldaten in glänzender Rüstung?“ – „Es sind Stare in ihrem Frühlingskleid“, sagt Markus. Die beiden Vögel laufen schnell über den Boden, hüpfen kurz in die Höhe, bleiben stehen und rennen dann weiter.

„Jetzt spitz mal die Ohren und schau in die Höhe", fordert Markus seine Schwester auf. „Dort oben gibt die Blaumeise ihren Kindern Gesangunterricht."

„Und wie heißt der kleine Vogel neben dem Nest?" will Martina wissen. „Es ist ein Buchfink. In dem Nest daneben ist seine Frau. Sie polstert es sicher gerade mit Moos, Flechten oder Spinnweben aus. Dort drüben bei den Disteln siehst du zwei farbenprächtige Vögel. Es sind Stieglitze. Man nennt sie auch Distelfinken, weil sie oft auf den Köpfen der Disteln sitzen und Samen herauspicken."

Hoch oben in der Pappel füttern die Elstereltern ihre Jungen. „Die Elstern haben sich beim Nestbau aber wenig Mühe gegeben!“ sagt Martina entrüstet.

„Da hast du recht“, stimmt ihr Markus zu. „Aber sieh dir einmal das Nest der Schwanzmeise an. Dieses eiförmige, fast geschlossene Nest ist ein richtiges kleines Kunstwerk. Es ist aus Moos, Flechten, Spinnweben und Tierhaaren geflochten. Und soviel ich weiß, polstert es die Schwanzmeise innen mit Federn aus.“

„Es ist wirklich wunderschön", sagt Martina voll Bewunderung. „Die Meisenkinder finden es sicher sehr gemütlich."

Dann entdecken die Kinder noch ein Nest. Es ist ganz nah am Erdboden und besteht einfach nur aus Grashalmen.
„Das ist das Nest der Dorngrasmücke", sagt Markus.
„Du liebe Zeit, wie hungrig ihre Kinder die Hälse recken und die Schnäbel aufsperren!"

Nicht weit vom Nest der Singdrossel entfernt entdeckt Markus eine „Drosselschmiede". Das ist ein Stein, auf dem die Drosselmutter mit dem Schnabel die Häuser der Schnecken zertrümmert. „Danach füttert sie ihre hungrigen Jungen mit den Schnecken. Die fressen sie nämlich besonders gern", erzählt Markus.

Auf einmal stößt Martina den Bruder an. „Was sind denn das für Vögel dort auf dem Dornengestrüpp? Neben ihnen sind ja Mäuschen aufgespießt!" ruft sie entsetzt. „Das sind Würger", erklärt Markus. „Sie spießen ihre Beute auf Dornen oder Stacheldrähten auf und legen sich so Nahrungsvorräte an." – „Die armen Mäuschen!" sagt Martina voll Mitleid.

„Ja, Mäuse haben es schwer. Sie kommen weder bei Tag noch bei Nacht zur Ruhe“, stimmt ihr Markus zu. „Dort oben in der alten Weide sitzt nämlich der Steinkauz. Noch döst er vor sich hin. Aber sobald es dämmrig wird, geht auch er auf Mäusejagd.“

„Und da stürzt noch ein Mäusefeind herab!" ruft Martina. „Gleich wird der Mäusebussard die winzige Zwergmaus packen! Arme, arme Mäuschen!" – „Ach, weißt du, so arm sind sie auch wieder nicht", meint Markus. „Denn wenn es keine Raubvögel wie den Steinkauz, Bussard oder Falken gäbe, würden die Mäuse zu einer richtigen Plage für die Bauern. Sie würden großen Schaden anrichten."

Während Markus und Martina auf einem Baumstamm verschnaufen, kommt ein wunderschöner orangefarbener Vogel angeflogen. Im Flug schnappt er – wupp! – ein Insekt, wirft es wieder in die Luft und fängt es dann im Schnabel auf. „Das sieht lustig aus“, sagt Martina. „Ist das ein Wiedehopf?“ – „Richtig. Und dort in der Baumhöhle hat er sein Nest mit den Jungen.“

„Hör nur, wie
die Lerche trillert,
während sie in die
Luft aufsteigt",
sagt Markus. Nun, die Lerche können die Kinder sehen. Aber die jungen Hasen, die sich ins Gras ducken, werden sie bestimmt nicht entdecken. Denn sie warten mucksmäuschenstill ab, bis Markus und Martina an ihrem Versteck vorüber sind.

Aus einem Gebüsch dringt trillernder und flötender Vogelgesang. „Das ist ein Rotkehlchen", erkennt Markus sogleich. Und dann sehen die Kinder die Rotkehlchen mit ihren Jungen. „Männchen und Weibchen sehen ja gleich aus!" staunt Martina.

„Und beide kümmern sich um die Jungen", sagt Markus. „Doch nun wollen wir heimgehen. Wir haben jetzt viele Tiere gesehen, die es in Feld und Flur gibt. – Wenn du willst, machen wir bald einen Ausflug in den Wald und schauen, welche Tiere dort leben."* – „Das wäre prima!" freut sich Martina.

* Entdeck mit uns die Tiere im Wald!